Para Joe

Título original: *Contrary Mary*
Primera edición: 1995 de Walker Books Ltd.
©   Anita Jeram
©   1ª edición, 1996
    2ª edición, 1997
    Editorial Kókinos
    Sagasta, 30 - 28004 MADRID
    Tel. y fax: 593 42 04
Printed in Hong-Kong
ISBN: 84-88342-12-8

Inés del revés

KóKINOS

Cuando Inés se
levantó aquella
mañana se sentía del revés. Se puso

la gorra con la visera para atrás,
el zapato izquierdo en el pie
derecho y el
zapato derecho
en el pie izquierdo.

Su mamá la llamó: «¿Ya estás despierta, Inés?»

«¡No!», contestó Inés del Revés.

Para desayunar había
tostadas con mermelada.
«¿Qué quieres tomar, Inés?»,
preguntó su mamá.
«Espagueti con tomate,
por favor», contestó
Inés del Revés.

Después se fueron
de compras,
y llovía.

«Ven bajo
el paraguas»,
dijo su mamá.
Pero Inés del Revés no la
escuchó. Saltó y bailó hasta
que se empapó.

Durante todo
el día Inés del Revés
lo hizo todo
al revés:

montó en bicicleta
de espaldas,
caminó
sobre las manos,

leyó un libro al revés
e hizo volar la cometa
por el suelo. Su mamá
movía la cabeza…

«Inés, Inés,
todo al revés…»
Y de repente se le
ocurrió una idea.

Esa noche,

a la hora de dormir,

acostó a Inés con la cabeza

a los pies de la cama.

¡Al revés!

Luego descorrió
las cortinas,
encendió
la luz, besó
a Inés en los pies
y dijo: «¡Buenos días!»

Inés se reía
sin parar.
«¡Mami del Revés!»,
dijo.

«¿Me quieres, Inés del Revés?»,
le preguntó su mamá
dándole un
gran abrazo.

«¡No!», contestó
Inés del Revés.
Y le dio
a su mamá
un beso ENORME.